# 历代传世家训

（简体咏诵本）

第二辑

中国劳动社会保障出版社

**图书在版编目（CIP）数据**

历代传世家训：简体咏诵本．第二辑 / 养正书坊编．-- 北京：中国劳动社会保障出版社，2020

ISBN 978-7-5167-4718-6

Ⅰ．①历…　Ⅱ．①养…　Ⅲ．①家庭道德 - 中国　Ⅳ．① B823.1

中国版本图书馆 CIP 数据核字（2020）第 209378 号

责任编辑 / 高　尚
责任校对 / 李春雷
责任设计 / 王利民

**中国劳动社会保障出版社出版发行**
（北京市惠新东街 1 号　邮政编码：100029）

*

北京华联印刷有限公司印刷装订　　新华书店经销
880 毫米 ×1230 毫米　16 开本　12 印张　90 千字
2020 年 11 月第 1 版　　2020 年 11 月第 1 次印刷
**定价：68.00 元**

读者服务部电话：（010）64929211/84209101/64921644
营销中心电话：（010）64962347
出版社网址：http://www.class.com.cn

代序书写　　杨士秋
文字书写　　陆建新
书法字体　　楷　书

# 代序

所謂治國必先齊其家者其家不可教而能教人者無之故君子不出家而成教於國孝者所以事君也弟者所以事長也慈者所以使衆也康誥曰如保赤子心誠求之雖不中不遠矣

此序为《大学·传九章》。《大学》是一篇论述修身、齐家、治国、平天下的儒家经典，相传为曾子所作，和《中庸》《论语》《孟子》并称『四书』。

# 代序

所谓治国必先齐其家者，其家不可教而能教人者，无之。故君子不出家而成教于国。孝者，所以事君也；弟者，所以事长也；慈者，所以使众也。《康诰》曰：“如保赤子。”心诚求之，虽不中，不远矣，

未有學養子而後嫁者也一家仁一國
興仁一家讓一國興讓一人貪戾一國作
亂其機如此此謂一言僨事一人定國
堯舜帥天下以仁而民從之桀紂帥天
下以暴而民從之其所令反其所好而民
不從是故君子有諸己而後求諸人
無諸己而後非諸人所藏乎身不
恕而能喻諸人者未之有也故治國
在齊其家詩云桃之夭夭其葉蓁蓁

未有学养子而后嫁者也。一家仁，一国兴仁；一家让，一国兴让；一人贪戾，一国作乱；其机如此。此谓一言偾事，一人定国。尧舜帅天下以仁而民从之；桀、纣帅天下以暴而民从之。其所令，反其所好，而民不从。是故，君子有诸己而后求诸人，无诸己而后非诸人。所藏乎身不恕，而能喻诸人者，未之有也。故治国在齐其家。《诗》云："桃之夭夭，其叶蓁蓁。

之子于歸宜其家人宜其家人而後
可以教國人詩云宜兄宜弟宜兄宜弟
而後可以教國人詩云其儀不忒正
是四國其為父子兄弟足法而後民
法之也此謂治國在齊其家

之子于归，宜其家人。”宜其家人，而后可以教国人。《诗》云：“宜兄宜弟。”宜兄宜弟，而后可以教国人。《诗》云：“其仪不忒，正是四国。”其为父子兄弟足法，而后民法之也。此谓治国在齐其家。

（选自《大学 · 传九章》）

# 出版说明

“天下之本在国，国之本在家，家之本在身。”中国社会的重心在家庭，家庭不仅是人们温情相伴、血脉相连的居所，还是人们修身立业、安身立命的依托。传统社会读书人修身、齐家、治国、平天下的人生追求中，齐家是修身的功业和治国、平天下的基础，成为大多数读书人一生的功课。“齐家”就要有一套家庭生活规则体系，体现一个家庭的道德观念、价值追求和精神气质，这就是一个家庭的家教和家风。

在源远流长的传统文化中，孟母三迁、断织劝学、曾子杀猪教子的家庭教育故事到今天已是老幼皆知、耳熟能详。许多传承千古的家训记录了一个个时代社会对家庭生活的规范和要求，是一位位“家长”治家齐家的生命缩影，延续了一个个家庭绵延不绝的文化血脉。

家训作为家教和家风的文字载体，形式多样，包括诗歌、散文、格言、书信等，蕴含着传统文化固有的修齐治平理想、中庸之道、仁义礼智信、忠孝节义廉等优良美德，沉淀着中华民族的教育思想、伦理道德、人生智慧和价值取向，展现着中国家庭的日常生活样式和生活智慧，润泽了一代又一代华夏子孙。

家训呈现一个家庭的精神风貌、道德情操和生活行为，最终落脚在家庭成员的人格养成。在家庭教育功能转移到社会的今天，家训仍不失为人格修养的教科书。父慈子孝、兄友弟恭、夫义妻顺、尊老爱幼、勤俭持家等家庭美德需要每个家庭秉持坚守，良好的家教和家风有助于家庭成员培育人格、陶冶情操、提升修养，这对于醇化社会风气、提升国人素质、传承民族文化至关重要，正所谓“斯文之传，莫大乎是矣”。

本套书共四册，遴选历代名人家训，年代上至春秋、下迄清末，内容涵盖修身、劝学、持家、处事、治家、为政等，文体包括散文、格言和书信等，邀请当代书法家用隶书、楷书、行楷三种字体书写，在内容选取、资料整理、呈现形式上力求有所创新和突破，体现出编者对传统家训的一份温情和敬意，是优秀的传统文化读本。

本套书选自历代典籍，做了节选和核校，依据《辞海》相关内容编辑了作者生平简介。由于编者能力的局限，书中尚有不足之处，敬请专家读者批评指正。

二〇二〇年九月

# 目录

唐

# 劉禹錫家訓

刘禹锡（七七二—八四二年），字梦得，洛阳人。自言系出中山，其先为中山靖王刘胜。唐代文学家、哲学家，有『诗豪』之称。贞元九年进士及第，登博学宏辞科，为监察御史。『八司马』事件后，贬朗州司马，迁连州刺史。有《刘梦得文集》。

猶子蔚適越戒

猶子蔚晨跪於席端曰臣幼承叔父訓始句萌至於扶疏前日不自意有司以名污賢能書又不自意被丞相府召為從事重兢累媿懼貽叔父羞今當行乞

# 刘禹锡家训

## 犹子蔚适越戒

犹子蔚晨跪于席端曰："臣幼承叔父训，始句萌至于扶疏。前日不自意，有司以名污贤能书；又不自意，被丞相府召为从事。重兢累愧，惧贻叔父羞。今当行，乞

辭以爲戒

余曰若知彝器乎始乎斲輪囷入規矩刳中廉外枵然而有容者理膩質堅然後加密石焉風戾日晞不副不聲然後青黄之鳥獸之飾乎瑤金貴在清廟其用也冪以養潔其藏也櫝以養光苟措非其所一有毫髮之傷儡然與破甑爲伍矣

汝之始成人猶器之作朴是宜力學爲

辞以为戒。”

余曰：“若知彝器乎？始乎斫轮，囷入规矩，刳中廉外，枵然而有容者，理腻质坚，然后加密石焉。风戾日晞，不剖不聱。然后青黄之，鸟兽之，饰乎瑶金，贵在清庙。其用也，幂以养洁；其藏也，椟以养光。苟措非其所，一有毫发之伤，儡然与破甑为伍矣。”

“汝之始成人，犹器之作朴，是宜力学为

礱斲親賢為青黃睦僚友為瑤金忠所
奉為清廟盡敬以為冪慎微以為櫝去
怠以護傷在勤而行之耳設有人思被
重霄而挹顥氣病無階而升有力者揭
層梯而倚泰山然而一舉足而一高非
獨揭梯者所能也凡大位未嘗曠故世
多貴人唯天爵並者乃可偉耳夫偉人
之一顧踰乎華章而一非亦慘乎黥刖
行矣慎諸吾見垂天之雲在爾肩腋間

砻斫，亲贤为青黄，睦僚友为瑶金，忠所奉为清庙，尽敬以为幂，慎微以为榱，去怠以护伤，在勤而行之耳。设有人思被重霄而挹颢气，病无阶而升，有力者揭层梯而倚泰山，然而一举足而一高，非独揭梯者所能也。凡大位未尝旷，故世多贵人，唯天爵并者乃可伟耳。夫伟人之一顾，踰乎华章；而一非，亦惨乎黥刖。行矣，慎诸！吾见垂天之云，在尔肩腋间

矣

昔吾友柳儀曹嘗謂吾文雋而膏味無窮而炙愈出也遲汝到丞相府居一二日袖吾文入謁以取質焉丞相吾友也汝事所從如事諸父借有不如意推起敬之心以奉焉無忽

矣。”

“昔吾友柳仪曹尝谓吾文隽而膏，味无穷而炙愈出也。迟汝到丞相府，居一二日，袖吾文入谒，以取质焉。丞相，吾友也。汝事所从，如事诸父。借有不如意，推起敬之心以奉焉。无忽！”

（《刘禹锡集》）

# 柳玭家訓

柳玭（？—八九五年），京兆华原（今陕西铜川市耀州区）人。其祖柳公绰，书法家，柳公权之兄，官至户部尚书。柳玭应两经举，释褐秘书正字，历谏议给事中、御史中丞、尚书右丞等，文德元年（八八八年）以礼部侍郎修国史，拜御史大夫，著《柳氏训序》。

## 講論家法

夫門地高者可畏不可恃可畏者立身行己一事有墜先訓則罪大於他人雖生可以苟取名位死何以見祖先于地下不可恃者門高則自驕族盛則人之

# 柳玭家訓

## 讲论家法

夫门地高者，可畏不可恃。可畏者，立身行己，一事有坠先训，则罪大于他人。虽生可以苟取名位，死何以见祖先于地下？不可恃者，门高则自骄，族盛则人之所嫉實藝懿行人未必信纖瑕微累十手爭指矣所以承世胄者修己不得不懇為學不得不堅夫人生世以無能望他人用以無善望他人愛用愛無狀則曰我不遇時時不急賢亦由農夫鹵莽而種而怨天澤之不潤雖欲弗餒其可得乎

予幼聞先訓講論家法立身以孝悌為基以恭默為本以畏怯為務以勤儉為

所嫉。实艺懿行，人未必信，纤瑕微累，十手争指矣。所以承世胄者，修己不得不恳，为学不得不坚。夫人生世，以无能望他人用，以无善望他人爱，用爱无状，则曰“我不遇时，时不急贤”。亦由农夫卤莽而种，而怨天泽之不润，虽欲弗馁，其可得乎！

予幼闻先训，讲论家法。立身以孝悌为基，以恭默为本，以畏怯为务，以勤俭为法以交結為末事以氣義為凶人肥家以忍順保交以簡敬百行備疑身之未周三緘密慮言之或失廣記如不及求名如儻來去吝與驕庶幾滅過蒞官則潔己省事而後可以言守法守法而後可以言養人直不近禍廉不沽名廩祿雖微不可易黎氓之膏血榎楚雖用不可恣褊狹之胸襟憂與福不偕潔與富不並比見門家子孫其先正直當官耿

法，以交结为末事，以气义为凶人。肥家以忍顺，保交以简敬。百行备，疑身之未周；三缄密，虑言之或失。广记如不及，求名如傥来。去吝与骄，庶几减过。莅官则洁己省事，而后可以言守法，守法而后可以言养人。直不近祸，廉不沽名。廪禄虽微，不可易黎氓之膏血；榎楚虽用，不可恣褊狭之胸襟。忧与福不偕，洁与富不并。比见门家子孙，其先正直当官，耿

介特立不畏强禦及其衰也唯好犯上更無他能知其先遜順處己和柔保身以遠悔尤及其衰也但有暗劣莫知所宗此際幾微非賢不達

夫壞名災己辱先喪家其失尤大者五宜深志之其一自求安逸靡甘澹泊苟利於己不恤人言其二不知儒術不悅古道懵前經而不恥論當世而解頤身既寡知惡人有學其三勝己者厭之佞

介特立，不畏强御；及其衰也，唯好犯上，更无他能。如其先逊顺处己，和柔保身，以远悔尤；及其衰也，但有暗劣，莫知所宗。此际几微，非贤不达。

夫坏名灾己，辱先丧家。其失尤大者五，宜深志之。其一，自求安逸，靡甘澹泊，苟利于己，不恤人言；其二，不知儒术，不悦古道，懵前经而不耻，论当世而解颐，身既寡知，恶人有学；其三，胜己者厌之，佞己者悦之唯樂戲譚莫思古道聞人之善嫉之聞人之惡揚之浸漬頗僻鎮刻德義簪裾徒在厮養何殊其四崇好慢遊耽嗜麴糵以銜杯為高致以勤事為俗流習之易荒覺已難悔其五急於名宦昵近權要一資半級雖或得之衆怨群猜鮮有存者茲五不是甚於痤疽痤疽則砭石可瘳五失則巫醫莫及前賢炯戒方冊具存近代覆車聞見相接

己者悦之，唯乐戏谭，莫思古道，闻人之善嫉之，闻人之恶扬之，浸渍颇僻，锁刻德义，簪裾徒在，厮养何殊；其四，崇好慢游，耽嗜曲蘖，以衔杯为高致，以勤事为俗流，习之易荒，觉已难悔；其五，急于名宦，昵近权要，一资半级，虽或得之，众怒群猜，鲜有存者。兹五不是，甚于痤疽。痤疽则砭石可疗，五失则巫医莫及。前贤炯戒，方册具存，近代覆车，闻见相接夫中人已下修辭力學者則躁進患失思展其用審命知退者則業荒文蕪一不足采唯上智則研其慮博其聞堅其習精其業用之則行舍之則藏苟異於斯豈為君子

夫中人已下，修辞力学者，则躁进患失，思展其用；审命知退者，则业荒文芜，一不足采。唯上智则研其虑，博其闻，坚其习，精其业，用之则行，舍之则藏。苟异于斯，岂为君子？

（《旧唐书》卷一百六十五《柳公绰附柳玭传》）

# 宋

# 趙光義家訓

飭戒皇后

元德皇后曾用鑲金緣皂襜太宗皇帝怒曰近日宮中用度不足皆緣皇后奢侈所至

赵光义（九三九—九九七年），宋太祖赵匡胤之弟。太祖称帝后，任他为殿前都虞侯、开封尹，封晋王。太平兴国元年（九七六年）即位。进一步加强专制主义中央集权，编纂《太平兴国编敕》，颁行全国。鼓励农桑，疏浚河流，发展贸易。

# 赵光义家训

## 饬戒皇后

元德皇后曾用镶金缘皂襜，太宗皇帝怒曰：“近日宫中用度不足，皆缘皇后奢侈所至。”

（节选《建炎以来系年要录》卷八十三）

# 敦勸子弟

太宗曾謂皇屬曰朕即位以来十三年矣朕持儉素外絕游觀之樂內卻聲色之娛真實之言固無虛飾汝等生於富貴長自深宮民庶艱難人之善惡必是未曉略說其本豈盡余懷夫帝子親王先須克己厲情聽言納誨每著一衣則憫蠶婦每餐一食則念耕夫至於聽斷之間勿先恣其喜怒朕每親臨庶政豈

## 敦劝子弟

太宗曾谓皇属曰："朕即位以来，十三年矣。朕持俭素，外绝游观之乐，内却声色之娱，真实之言，固无虚饰。汝等生于富贵，长自深宫，民庶艰难，人之善恶，必是未晓，略说其本，岂尽余怀？夫帝子亲王，先须克己厉情，听言纳诲，每着一衣，则悯蚕妇；每餐一食，则念耕夫。至于听断之间，勿先恣其喜怒。朕每亲临庶政，岂

敢憚于焦勞禮接群臣無非求於啟沃汝等勿鄙人短勿恃己長乃可永久富貴以保終吉先賢有言曰逆吾者是吾師順吾者是吾賊不可不察也

敢惮于焦劳；礼接群臣，无非求于启沃。汝等勿鄙人短，勿恃己长，乃可永久富贵，以保终吉。先贤有言曰：‘逆吾者是吾师，顺吾者是吾贼。’不可不察也。”

（节选自《宋朝事实类苑》卷二《祖宗圣训 · 太宗皇帝》）

# 邵雍戒子孫

邵雍（一〇一一—一〇七七年），字尧夫，北宋著名理学家、数学家，生于林县上杆庄（今河南林州邵康村，一说生于范阳，即今河北涿州大邵村）。与周敦颐、张载、程颢、程颐并称『北宋五子』。学有大成，著有《皇极经世》《观物内外篇》等。

上品之人不教而善中品之人教而後善下品之人教亦不善不教而善非聖而何教而後善非賢而何教亦不善非愚而何是知善也者吉之謂也不善也者凶之謂也吉也者目不觀非禮之色

# 邵雍戒子孙

上品之人，不教而善；中品之人，教而后善；下品之人，教亦不善。不教而善，非圣而何？教而后善，非贤而何？教亦不善，非愚而何？是知善也者，吉之谓也；不善也者，凶之谓也。

吉也者，目不观非礼之色，

耳不聽非禮之聲口不道非禮之言足不踐非理之地人非善不交物非義不取親賢如就芝蘭避惡如畏蛇蠍或曰不謂之吉人則吾不信也凶也者語言詭譎動止陰險好利飾非貪淫樂禍疾良善如讎隙犯刑憲如飲食小則殞身滅性大則覆宗絕嗣或曰不謂之凶人則吾不信也傳有之曰吉人為善惟日不足凶人為不善亦惟日不足汝等欲為吉人乎欲為凶人乎

耳不听非礼之声，口不道非礼之言，足不践非理之地。人非善不交，物非义不取。亲贤如就芝兰，避恶如畏蛇蝎。或曰不谓之吉人，则吾不信也。凶也者，语言诡谲，动止阴险，好利饰非，贪淫乐祸，疾良善如仇隙，犯刑宪如饮食，小则殒身灭性，大则覆宗绝嗣。或曰不谓之凶人，则吾不信也。传有之曰：吉人为善，惟日不足；凶人为不善，亦惟日不足。汝等欲为吉人乎？欲为凶人乎？

（选自《皇朝文鉴》）

# 司馬光家範

司马光（一〇一九—一〇八六年），字君实，陕州夏县（今山西夏县）涑水乡人，世称涑水先生。北宋政治家、史学家、文学家。仁宗宝元进士，任天章阁待制兼侍讲知谏院。英宗时进龙图阁直学士。做事用功刻苦、勤奋。有《司马文正公集》。

多積害子

大學曰古之欲明明德於天下者先治其國欲治其國者先齊其家欲齊其家者先修其身欲修其身者先正其心欲正其心者先誠其意欲誠其意者先致

# 司马光家范

## 多积害子

《大学》曰：“古之欲明明德于天下者，先治其国；欲治其国者，先齐其家；欲齐其家者，先修其身；欲修其身者，先正其心；欲正其心者，先诚其意；欲诚其意者，先致其知致知在格物物格而後知至知至而後意誠意誠而後心正心正而後身修身修而後家齊家齊而後國治國治而後天下平自天子以至於庶人一是皆以修身為本其本亂而末治者否矣其所厚者薄而其所薄者厚未之有也此謂知本此謂知之至也

為人祖者莫不思利其後世然果能利之者鮮矣何以言之今之為後世謀者

其知；致知在格物。物格而后知至，知至而后意诚，意诚而后心正，心正而后身修，身修而后家齐，家齐而后国治，国治而后天下平。自天子以至于庶人，一是皆以修身为本。其本乱而末治者否矣，其所厚者薄，而其所薄者厚，未之有也！”此谓知本，此谓知之至也。

为人祖者，莫不思利其后世。然果能利之者，鲜矣。何以言之？今之为后世谋者，

不過廣營生計以遺之田疇連阡陌邸肆跨坊曲粟麥盈囷倉金帛充篋笥慊慊然求之猶未足施施然自以為子子孫孫累世用之莫能盡也然不知以義方訓其子以禮法齊其家自於數十年中勤身苦體以聚之而子孫于時歲之間奢靡遊蕩以散之反笑其祖考之愚不知自娛又怨其吝嗇無恩於我而厲之也始則欺紿攘竊以充其欲不足則

不过广营生计以遗之。田畴连阡陌，邸肆跨坊曲，粟麦盈囷仓，金帛充箧笥，慊慊然，求之犹未足，施施然，自以为子子孙孙累世用之莫能尽也。然不知以义方训其子，以礼法齐其家。自于数十年中勤身苦体以聚之，而子孙于时岁之间奢靡游荡以散之，反笑其祖考之愚不知自娱；又怨其吝啬，无恩于我，而厉之也。始则欺绐攘窃，以充其欲；不足则

立券舉債於人，俟其死而償之，觀其意惟患其祖考之壽也。甚者至於有疾不療，陰行鴆毒，亦有之矣。然則向之所以利後世者，適足以長子孫之惡而爲身禍也。頃嘗有士大夫，其先亦國朝名臣也，家甚富而尤吝嗇，斗升之粟、尺寸之帛，必身自出納，鎖而封之。晝則佩鑰於身，夜則置鑰於枕下。病甚，困絕不知，其子孫竊其鑰，開藏室，發篋笥，取其資財立券举债于人，俟其死而偿之。观其意，惟患其祖考之寿也。甚者至于有疾不疗，阴行鸩毒，亦有之矣。然则向之所以利后世者，适足以长子孙之恶而为身祸也。顷尝有士大夫，其先亦国朝名臣也，家甚富而尤吝啬，斗升之粟、尺寸之帛，必身自出纳，锁而封之。昼则佩钥于身，夜则置钥于枕下；病甚，困绝不知，其子孙窃其钥，开藏室，发箧笥，取其资财。

其人後蘇即捫枕下求鑰不得憤怒遂卒其子孫不哭相與爭匿其財遂致鬥訟其處女蒙首執牒自訴於府庭以爭嫁資為鄉黨笑蓋由子孫自幼及長惟知有利不知有義故也夫生生之資固人所不能無然勿求多餘多餘希不為累矣使其子孫果賢耶豈蔬糲布褐不能自營至死于道路乎若其不賢耶雖積金滿堂又奚益哉故多藏以遺子孫吾見其愚之甚

其人后苏，即扪枕下，求钥不得，愤怒遂卒。其子孙不哭，相与争匿其财，遂致斗讼。其处女蒙首执牒，自诉于府庭，以争嫁资，为乡党笑。盖由子孙自幼及长，惟知有利，不知有义故也。夫生生之资，固人所不能无，然勿求多余，多余，希不为累矣。使其子孙果贤耶，岂蔬粝布褐不能自营，至死于道路乎？若其不贤耶，虽积金满堂，又奚益哉？故多藏以遗子孙，吾见其愚之甚。

然則賢聖皆不顧子孫之匱乏耶？曰：何為其然也！昔者聖人遺子孫以德以禮，賢人遺子孫以廉以儉。舜自側微積德至於為帝，子孫保之，享國百世而不絕。周自后稷、公劉、太王、王季、文王積德累功，至於武王而有天下。其詩曰：「詒厥孫謀，以燕翼子。」言豐德澤，明禮法，以遺後世而安固之也。故能子孫承統八百餘然则贤圣皆不顾子孙之匮乏耶？曰：何为其然也？昔者圣人遗子孙以德以礼，贤人遗子孙以廉以俭。舜自侧微积德至于为帝，子孙保之，享国百世而不绝。周自后稷、公刘、太王、王季、文王，积德累功，至于武王而有天下。其《诗》曰：“诒厥孙谋，以燕翼子。”言丰德泽，明礼法以遗后世，而安固之也。故能子孙承统八百余

年其支庶猶為天下之顯諸侯棋布于海內其為利豈不大哉

為人母者不患不慈患於知愛而不知教也古人有言曰慈母敗子愛而不教使淪於不肖陷於大惡入于刑辟歸於亂亡非他人敗之也母敗之也自古及今若是者多矣不可悉數

年，其支庶犹为天下之显，诸侯棋布于海内，其为利岂不大哉！

为人母者，不患不慈，患于知爱而不知教也。古人有言曰：“慈母败子。”爱而不教，使沦于不肖，陷于大恶，入于刑辟，归于乱亡。非他人败之也，母败之也。自古及今，若是者多矣，不可悉数。

儉為美德

吾本寒家世以清白相承吾性不喜華
靡自為乳兒長者加以金銀華美之服
輒羞赧棄去之二十忝科名聞喜宴獨
不戴花同年曰君賜不可違也乃簪一
花平生衣取蔽寒食取充腹亦不敢服
垢弊以矯俗干名但順吾性而已衆人
皆以奢靡為榮吾心獨以儉素為美人
皆嗤吾固陋吾不以為病應之曰孔子

## 俭为美德

吾本寒家，世以清白相承。吾性不喜华靡，自为乳儿，长者加以金银华美之服，辄羞赧弃去之。二十忝科名，闻喜宴独不戴花。同年曰："君赐不可违也。"乃簪一花。平生衣取蔽寒，食取充腹；亦不敢服垢弊以矫俗干名，但顺吾性而已。众人皆以奢靡为荣，吾心独以俭素为美。人皆嗤吾固陋，吾不以为病。应之曰：孔子

稱與其不遜也寧固又曰以約失之者鮮矣又曰士志於道而恥惡衣惡食者未足與議也古人以儉為美德今人乃以儉相詬病嘻異哉

近歲風俗尤為侈靡走卒類士服農夫躡絲履吾記天聖中先公為群牧判官客至未嘗不置酒或三行五行多不過七行酒酤於市果止于梨栗棗柿之類肴止於脯醢菜羹器用瓷漆當時士大

称：“与其不逊也，宁固。”又曰：“以约失之者，鲜矣。”又曰：“士志于道，而耻恶衣恶食者，未足与议也。”古人以俭为美德，今人乃以俭相诟病。嘻，异哉！

近岁风俗尤为侈靡，走卒类士服，农夫蹑丝履。吾记天圣中，先公为群牧判官，客至未尝不置酒，或三行、五行，多不过七行。酒酤于市，果止于梨、栗、枣、柿之类；肴止于脯、醢、菜、羹，器用瓷漆。当时士大

夫家皆然人不相非也會數而禮勤物
薄而情厚近日士大夫家酒非內法果
肴非遠方珍異食非多品器皿非滿案
不敢會賓友常量月營聚然後敢發書
苟或不然人爭非之以為鄙吝故不隨
俗靡者蓋鮮矣嗟乎風俗頹敝如是居
位者雖不能禁忍助之乎
又聞昔李文靖公為相治居第于封丘
門內廳事前僅容旋馬或言其太隘公

夫家皆然，人不相非也。会数而礼勤，物薄而情厚。近日士大夫家，酒非内法，果、肴非远方珍异，食非多品，器皿非满案，不敢会宾友，常量月营聚，然后敢发书。苟或不然，人争非之，以为鄙吝。故不随俗靡者，盖鲜矣。嗟乎！风俗颓敝如是，居位者虽不能禁，忍助之乎！

又闻昔李文靖公为相，治居第于封丘门内，厅事前仅容旋马，或言其太隘。公笑曰居第當傳子孫此為宰相廳事誠隘為太祝奉禮廳事已寬矣參政魯公為諫官真宗遣使急召之得於酒家既入問其所來以實對上曰卿為清望官奈何飲於酒肆對曰臣家貧客至無器皿肴果故就酒家觴之上以無隱益重之張文節為相自奉養如為河陽掌書記時所親或規之曰公今受俸不少而自奉若此公雖自信清約外人頗有公

笑曰：“居第当传子孙，此为宰相厅事诚隘，为太祝，奉礼厅事已宽矣。”参政鲁公为谏官，真宗遣使急召之，得于酒家。既入，问其所来，以实对。上曰：“卿为清望官，奈何饮于酒肆？”对曰：“臣家贫，客至无器皿、肴、果，故就酒家觞之。”上以无隐，益重之。张文节为相，自奉养如为河阳掌书记时，所亲或规之曰：“公今受俸不少，而自奉若此。公虽自信清约，外人颇有公孫布被之譏公宜少從衆公歎曰吾今日之俸雖舉家錦衣玉食何患不能顧人之常情由儉入奢易由奢入儉難吾今日之俸豈能常存一旦異於今日家人習奢已久不能頓儉必致失所豈若吾居位去位身存身亡常如一日乎嗚呼大賢之深謀遠慮豈庸人所及哉御孫曰儉德之共也侈惡之大也共同也言有德者皆由儉來也夫儉則寡欲君子寡欲

孙布被之讥。公宜少从众。”公叹曰：“吾今日之俸，虽举家锦衣玉食，何患不能？顾人之常情，由俭入奢易，由奢入俭难。吾今日之俸岂能常存？一旦异于今日，家人习奢已久，不能顿俭，必致失所。岂若吾居位、去位、身存、身亡，常如一日乎？”呜呼！大贤之深谋远虑，岂庸人所及哉？！御孙曰：“俭，德之共也；侈，恶之大也。”共，同也，言有德者皆由俭来也。夫俭则寡欲，君子寡欲，

則不役於物可以直道而行小人寡欲
則能謹身節用遠罪豐家故曰儉德之
共也侈則多欲君子多欲則貪慕富貴
枉道速禍小人多欲則多求妄用敗家
喪身是以居官必賄居鄉必盜故曰侈
惡之大也昔正考父饘粥以糊口孟僖
子知其後必有達人季文子相三君妾
不衣帛馬不食粟君子以爲忠管仲鏤
簋朱紘山楶藻梲孔子鄙其小器公叔

则不役于物，可以直道而行；小人寡欲，则能谨身节用，远罪丰家。故曰："俭，德之共也。"侈则多欲，君子多欲，则贪慕富贵，枉道速祸；小人多欲，则多求妄用，败家丧身。是以居官必贿，居乡必盗。故曰："侈，恶之大也。"昔正考父饘粥以糊口，孟僖子知其后必有达人；季文子相三君，妾不衣帛，马不食粟，君子以为忠；管仲镂簋朱纮、山节藻棁，孔子鄙其小器；公叔文子享衛靈公史鰌知其及禍及戌果以富得罪出亡何曾日食萬錢至孫以驕溢傾家石崇以奢靡誇人卒以此死東市近世寇萊公豪侈冠一時然以功業大人莫之非子孫習其家風今多窮困其餘以儉立名以侈自敗者多矣不可遍數聊舉數人以訓汝汝非徒身當服行當以訓汝子孫使知前輩之風俗云

文子享卫灵公，史鳝知其及祸，及戍，果以富得罪出亡。何曾日食万钱，至孙以骄溢倾家；石崇以奢靡夸人，卒以此死东市。近世寇莱公豪侈冠一时，然以功业大，人莫之非，子孙习其家风，今多穷困。其余以俭立名，以侈自败者多矣，不可遍数，聊举数人以训汝。汝非徒身当服行，当以训汝子孙，使知前辈之风俗云。

## 與侄書

近蒙聖恩除門下侍郎舉朝嫉者何可勝數而獨以愚直之性處於其間如一黃葉在烈風中幾何不危墜也是以受命以來有懼而無喜汝輩當識此意倍須謙恭退讓不得恃賴我聲勢作不公不法攪擾官司侵陵小民使為鄉人所厭苦則我之禍皆起於汝輩而汝輩亦不如人也

## 与侄书

近蒙圣恩除门下侍郎，举朝嫉者何可胜数？而独以愚直之性处于其间，如一黄叶在烈风中，几何不危坠也！是以受命以来，有惧而无喜。汝辈当识此意，倍须谦恭退让，不得恃赖我声势，作不公不法，搅扰官司，侵陵小民，使为乡人所厌苦，则我之祸，皆起于汝辈，而汝辈亦不如人也。

（《温国文正司马公文集》）

# 王安石論教育

王安石（一〇二一—一〇八六年），字介甫，号半山，临川（今江西抚州）人。北宋思想家、政治家、文学家。天圣二年（一〇四二年），进士及第。历任扬州签判、鄞县知县、舒州通判、参知政事等职，政绩显著。为『唐宋八大家』之一。有《王临川集》等存世。

## 傷仲永

金溪民方仲永世隸耕仲永生五年未嘗識書具忽啼求之父異焉借旁近與之即書詩四句並自為其名其詩以養父母收族為意傳一鄉秀才觀之自是

# 王安石论教育

## 伤仲永

金溪民方仲永，世隶耕。仲永生五年，未尝识书具，忽啼求之。父异焉，借旁近与之，即书诗四句，并自为其名。其诗以养父母、收族为意，传一乡秀才观之。自是

指物作詩立就其文理皆有可觀者邑人奇之稍稍賓客其父或以錢幣乞之父利其然也日扳仲永環謁於邑人不使學

余聞之也久明道中從先人還家于舅家見之十二三矣令作詩不能稱前時之聞又七年還自揚州復到舅家問焉曰泯然衆人矣

王子曰仲永之通悟受之天也其受之

指物作诗立就，其文理皆有可观者。邑人奇之，稍稍宾客其父，或以钱币乞之。父利其然也，日扳仲永环谒于邑人，不使学。

余闻之也久，明道中，从先人还家，于舅家见之，十二三矣。令作诗，不能称前时之闻。又七年，还自扬州，复到舅家，问焉。曰："泯然众人矣。"

王子曰：仲永之通悟，受之天也。其受之

天也賢于材人遠矣卒之為衆人則其受於人者不至也彼其受之天也如此其賢也不受之人且為衆人今夫不受之天固衆人又不受之人得為衆人而已耶

天也，贤于材人远矣。卒之为众人，则其受于人者不至也。彼其受之天也，如此其贤也，不受之人，且为众人；今夫不受之天，固众人；又不受之人，得为众人而已耶？

（据四部丛刊本《临川先生文集》）

# 蘇軾家訓

苏轼（一〇三七—一一〇一年），字子瞻，号东坡居士，世称苏东坡，眉山（今属四川）人。北宋文学家、书法家、画家。嘉祐二年（一〇五七年）进士及第。曾在凤翔、杭州、密州等地任职。哲宗时，曾任翰林学士，出知杭州、颍州等地。其诗清新豪健，词开豪放一派，为『唐宋八大家』之一。

## 與侄孫元老書

侄孫近來為學何如恐不免趨時然亦須多讀書史務令文字華實相副期於實用乃佳勿令得一第後所學便為棄物也海外粗有書籍六郎亦不廢學雖

# 苏轼家训

## 与侄孙元老书

侄孙近来为学何如？恐不免趋时。然亦须多读书史，务令文字华实相副，期于实用乃佳。勿令得一第后，所学便为弃物也。海外粗有书籍，六郎亦不废学，虽

不解對義然作文極峻壯有家法二郎五郎見説亦長進曾見他文字否侄孫宜熟前後漢史及韓柳文有便寄近文一兩首來慰海外老人意也

大丈夫貴在能忍

古之所謂豪傑之士者必有過人之節人情有所不能忍者匹夫見辱拔劍而起挺身而鬥此不足為勇也天下有大

不解对义，然作文极峻壮，有家法。二郎、五郎见说亦长进，曾见他文字否？侄孙宜熟前后汉史及韩柳文。有便，寄近文一两首来，慰海外老人意也。

## 大丈夫贵在能忍

古之所谓豪杰之士者，必有过人之节。人情有所不能忍者。匹夫见辱，拔剑而起，挺身而斗，此不足为勇也。天下有大勇者卒然臨之而不驚，無故加之而不怒，此其所挾持者甚大，而其志甚遠也。

夫子房受書於圯上之老人也，其事甚怪。然亦安知其非秦之世有隱君子者出而試之？觀其所以微見其意者，皆聖賢相與警戒之義。世人不察，以為鬼物，亦已過矣。且其意不在書。當韓之亡，秦之方盛也，以刀鋸鼎鑊待天下之士，其平居無罪夷滅者，不可勝數。雖有賁育

勇者，卒然临之而不惊，无故加之而不怒；此其所挟持者甚大，而其志甚远也。

夫子房受书于圯上之老人也，其事甚怪。然亦安知其非秦之世，有隐君子者，出而试之？观其所以微见其意者，皆圣贤相与警戒之义，世人不察，以为鬼物，亦已过矣。且其意不在书。当韩之亡，秦之方盛也，以刀锯鼎镬待天下之士，其平居无罪夷灭者，不可胜数。虽有贲、育，無所獲施夫持法太急者其鋒不可犯而其勢未可乘子房不忍忿忿之心以匹夫之力而逞於一擊之間當此之時子房之不死者其間不能容髮蓋亦已危矣千金之子不死于盜賊何哉其身之可愛而盜賊之不足以死也子房以蓋世之才不為伊尹太公之謀而特出于荆軻聶政之計以僥倖於不死此圯上老人之所為深惜者也是故倨傲鮮腆

无所获施。夫持法太急者，其锋不可犯，而其势未可乘。子房不忍忿忿之心，以匹夫之力，而逞于一击之间。当此之时，子房之不死者，其间不能容发，盖亦已危矣。千金之子，不死于盗贼，何哉？其身之可爱，而盗贼之不足以死也。子房以盖世之才，不为伊尹、太公之谋，而特出于荆轲、聂政之计，以侥幸于不死，此圯上老人之所为深惜者也。是故倨傲鲜腆

而深折之彼其能有所忍也然後可以就大事故曰孺子可教也

楚莊王伐鄭鄭伯肉袒牽羊以逆莊王曰其君能下人必能信用其民矣遂舍之句踐之困於會稽而歸臣妾于吳者三年而不倦且夫有報人之志而不能下人者是匹夫之剛也夫老人者以為子房才有餘而憂其度量之不足故深折其少年剛銳之氣使之忍小忿而就

而深折之，彼其能有所忍也，然后可以就大事，故曰“孺子可教也”。

楚庄王伐郑，郑伯肉袒牵羊以逆。庄王曰：“其君能下人，必能信用其民矣。”遂舍之。勾践之困于会稽，而归臣妾于吴者，三年而不倦。且夫有报人之志，而不能下人者，是匹夫之刚也。夫老人者，以为子房才有余，而忧其度量之不足，故深折其少年刚锐之气，使之忍小忿而就

大謀何則非有平生之素卒然相遇於草野之間而命以僕妾之役油然而不怪者此固秦皇之所不能驚而項籍之所不能怒也

觀夫高祖之所以勝而項籍之所以敗者在能忍與不能忍之間而已矣項籍唯不能忍是以百戰百勝而輕用其鋒高祖忍之養其全鋒以待其斃此子房教之也當淮陰破齊而欲自王高祖發

大谋。何则？非有平生之素，卒然相遇于草野之间，而命以仆妾之役，油然而不怪者，此固秦皇之所不能惊，而项籍之所不能怒也。

观夫高祖之所以胜，而项籍之所以败者，在能忍与不能忍之间而已矣。项籍唯不能忍，是以百战百胜，而轻用其锋。高祖忍之，养其全锋，以待其敝，此子房教之也。当淮阴破齐而欲自王，高祖发

怒見於詞色由此觀之猶有剛強不能忍之氣非子房其誰全之

太史公疑子房以爲魁梧奇偉而其狀貌乃如婦人女子不稱其志氣嗚呼此其所以爲子房歟

怒，见于词色。由此观之，犹有刚强不能忍之气，非子房其谁全之！

太史公疑子房，以为魁梧奇伟，而其状貌乃如妇人女子，不称其志气。呜呼！此其所以为子房欤？

（《东坡七集 · 应诏集》）

# 陸游家訓

陆游（一一二五—一二一〇年），字务观，号放翁，越州山阴（今浙江绍兴）人。南宋文学家、史学家、爱国诗人。孝宗即位后，赐进士出身，曾任镇江、夔州通判，四川宣抚使等职，后官至宝章阁待制。主张抗金。有《剑南诗稿》《渭南文集》等存世。

## 玩物喪志

世之貪夫溪壑無饜固不足責至若常人之情見他人服玩不能不動亦是一病大抵人情慕其所無厭其所有但念此物若我有之竟亦何用使人歆豔于

# 陆游家训

## 玩物丧志

世之贪夫，溪壑无餍，固不足责。至若常人之情，见他人服玩，不能不动，亦是一病。大抵人情慕其所无，厌其所有，但念此物若我有之，竟亦何用？使人歆艳，于

我何補如是思之貪求自息若夫天性澹然或學已到者固無待此也

---

守禮尊人

人士有吾輩行同者雖位有貴賤交有厚薄汝輩見之當極恭遜已雖高官亦當力請居其下不然則避去可也吾少時見士子有與其父之朋舊同席而劇談大噱者心切惡之故不願汝曹為之也

我何补？如是思之，贪求自息。若夫天性澹然，或学已到者，固无待此也。

## 守礼尊人

人士有吾辈行同者，虽位有贵贱，交有厚薄，汝辈见之，当极恭逊。己虽高官，亦当力请居其下。不然，则避去可也。吾少时，见士子有与其父之朋旧同席而剧谈大噱者，心切恶之，故不愿汝曹为之也。

成於困約

昔唐之亡也天下分裂錢氏崛起吳越之間徒隸乘時冠履易位吾家在唐為輔相者六人廉直忠孝世載令聞念後世不可事偽國苟富貴以辱先人始棄官不仕東徙渡江夷於編氓孝悌行于家忠信著于里家法凜然久而弗改宋

## 成于困约

昔唐之亡也，天下分裂，钱氏崛起吴越之间，徒隶乘时，冠履易位。吾家在唐为辅相者六人，廉直忠孝，世载令闻。念后世不可事伪国苟富贵，以辱先人，始弃官不仕。东徙渡江，夷于编氓。孝悌行于家，忠信著于里，家法凛然，久而弗改。宋

興海內一統祥符中天子東封泰山於
是陸氏乃與時俱興百餘年間文儒繼
出有公有卿子孫宦學相承復為宋世
家亦可謂盛矣然游於此切有懼焉天
下之事常成於困約而敗於奢靡游童
子時先君諄諄為言太傅出入朝廷四
十餘年終身未嘗為越產家人有少變
其舊者輒不懌其夫人棺才漆四會婚
姻不求大家顯人晚歸魯墟舊廬一椽

兴，海内一统，祥符中，天子东封泰山，于是陆氏乃与时俱兴。百余年间，文儒继出，有公有卿。子孙宦学相承，复为宋世家，亦可谓盛矣。然游于此切有惧焉。天下之事，常成于困约，而败于奢靡。游童子时，先君谆谆为言，太傅出入朝廷四十余年，终身未尝为越产。家人有少变其旧者，辄不怿。其夫人棺才漆，四会婚姻，不求大家显人。晚归鲁墟，旧庐一椽

不可加也楚公少時尤苦貧革帶敝以繩續絶處秦國夫人嘗作新襦積錢累月乃能就一日覆羹污之至泣涕不食

太尉與邊夫人方寓官舟見婦至喜甚輒置酒銀器色黑如鐵果醢數種酒三行而已姑嫁石氏歸寧食有籠餅亟起辭謝曰昏耄不省是誰生日也左右或匿笑楚公歎曰吾家故時數日乃啜羹歲時或生日乃食籠餅若曹豈知耶是

不可加也。楚公少时，尤苦贫，革带敝，以绳续绝处。秦国夫人尝作新襦，积钱累月乃能就，一日覆羹污之，至泣涕不食。太尉与边夫人方寓宦舟，见妇至，喜甚，辄置酒，银器色黑如铁，果醢数种，酒三行而已。姑嫁石氏，归宁，食有笼饼，亟起辞谢曰：“昏耄不省是谁生日也？”左右或匿笑。楚公叹曰：吾家故时数日乃啜羹，岁时或生日乃食笼饼，若曹岂知耶？是時楚公見貴顯顧以啜羹食餅為泰愀然歎息如此游生晚所聞已略然少於游者又將不聞而舊俗方以大壞厭藜藿慕膏粱往往更以上世之事為諱使不問此風放而不還且有陷於危辱之地淪於市井降於皂隸者矣復思如往時父子兄弟相從居於魯墟葬於九里安樂耕桑之業終身無愧悔可得耶嗚呼仕而至公卿命也退而為農亦命

时楚公见贵显，顾以啜羹食饼为泰，愀然叹息如此。游生晚，所闻已略。然少于游者，又将不闻。而旧俗方以大坏，厌藜藿，慕膏粱，往往更以上世之事为讳。使不问，此风放而不还，且有陷于危辱之地，沦于市井，降于皂隶者矣。复思如往时父子兄弟相从，居于鲁墟，葬于九里，安乐耕桑之业，终身无愧悔，可得耶？呜呼，仕而至公卿，命也；退而为农，亦命

也若夫撓節以求貴市道以營利吾家之所恥子孫戒之尚無墜厥初乾道四年五月十三日太中大夫寶謨閣待制游謹書

也。若夫挠节以求贵，市道以营利，吾家之所耻，子孙戒之，尚无坠厥初。乾道四年五月十三日，太中大夫、宝谟阁待制游谨书。

（选自《放翁家训》）

# 朱熹家訓

朱熹（一一三〇—一二〇〇年），字元晦，又字仲晦，号晦庵，别称紫阳，谥文，世称朱文公。徽州婺源（今江西婺源）人，出生于建阳（今属福建）。宋朝著名的理学家、哲学家、教育家、诗人，闽学派的代表人物，儒学集大成者，世尊称为朱子。

早晚受業請益隨衆例不得怠慢日間思索有疑用冊子隨手劄記候見質問不得放過所聞誨語歸安下處思省切要之言逐日劄記歸日要看見好文字錄取歸來

# 朱熹家训

早晚受业请益，随众例不得怠慢。日间思索有疑，用册子随手札记，候见质问，不得放过。所闻诲语，归安下处，思省切要之言，逐日札记，归日要看。见好文字，录取归来。

不得自擅出入與人往還初到問先生有合見者見之不合見則不必往人來相見亦啟稟然後往報之此外不得出入一步

居處須是居敬不得倨肆惰慢言語須要諦當不得戲笑喧嘩凡事謙恭不得尚氣淩人自取恥辱

不得飲酒荒思廢業亦恐言語差錯失己忤人尤當深戒不可言人過惡及說

不得自擅出入，与人往还。初到，问先生，有合见者见之，不合见则不必往。人来相见，亦启禀然后往报之，此外不得出入一步。

居处须是居敬，不得倨肆惰慢。言语须要谛当，不得戏笑喧哗。凡事谦恭，不得尚气凌人，自取耻辱。不得饮酒，荒思废业，亦恐言语差错，失己忤人，尤当深戒。不可言人过恶，及说

人家長短是非有来告者亦勿酬答于先生之前尤不可說同學之短

交遊之間尤當審擇雖是同學亦不可無親疏之辨此皆當請于先生聽其所教大凡敦厚忠信能言吾過者益友也其諂諛輕薄傲慢褻狎導人為惡者損友也推此求之亦自合見得五七分更問以審之百無所失矣但恐志趣卑凡不能克己從善則益者不期疏而日遠

人家长短是非。有来告者，亦勿酬答。于先生之前，尤不可说同学之短。

交游之间，尤当审择，虽是同学，亦不可无亲疏之辨。此皆当请于先生，听其所教。大凡敦厚忠信，能言吾过者，益友也；其谄谀轻薄，傲慢亵狎，导人为恶者，损友也。推此求之，亦自合见得五七分，更问以审之，百无所失矣。但恐志趣卑凡，不能克己从善，则益者不期，疏而日远；

損者不期近而日親此須痛加檢點而矯革之不可荏苒漸習自趨小人之域如此則雖有賢師長亦無救拔自家處矣

見人嘉言善行則敬慕而紀錄之見人好文字勝己者則借來熟看或傳錄之而諮問之思與之齊而後已不拘長少惟善是取

以上數條切宜謹守其所未及亦可據

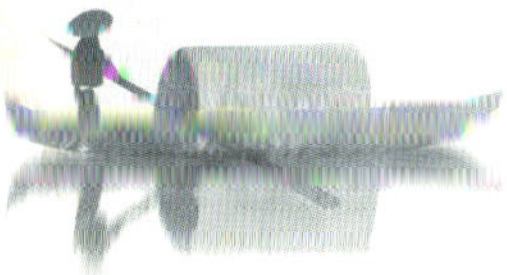

损者不期，近而日亲。此须痛加检点而矫革之，不可荏苒渐习，自趋小人之域。如此则虽有贤师长，亦无救拔自家处矣。

见人嘉言善行，则敬慕而纪录之。见人好文字胜己者，则借来熟看，或传录之，而咨问之，思与之齐而后已。不拘长少，惟善是取。

以上数条，切宜谨守。其所未及，亦可据

此推廣大抵只是勤謹二字循之而上
有無限好事吾雖未敢言而竊為汝願
之反之而下有無限不好事吾雖不欲
言而未免為汝憂之也
蓋汝若好學在家足可讀書作文講明
義理不待遠離膝下千里從師汝既不
能如此即是自不好學已無可望之理
然今遣汝者恐汝在家汩於俗務不得專意
又父子之間不欲晝夜督責及無朋友

此推广，大抵只是勤谨二字。循之而上，有无限好事。吾虽未敢言，而窃为汝愿之；反之而下，有无限不好事。吾虽不欲言，而未免为汝忧之也。

盖汝若好学，在家足可读书作文，讲明义理，不待远离膝下，千里从师。汝既不能如此，即是自不好学，已无可望之理。然今遣汝者，恐汝在家汩于俗务，不得专意，又父子之间，不欲昼夜督责，及无朋友

聞見故令汝一行汝若到彼能奮然勇
為力改故習一味勤謹則吾猶有望不
然則徒勞費只與在家一般他日歸来
又只是舊時伎倆人物不知汝將何面
目歸見父母親戚鄉党故舊耶
念之念之夙興夜寐無忝爾所生在此
一行千萬努力

闻见，故令汝一行。汝若到彼，能奋然勇为，力改故习，一味勤谨，则吾犹有望；不然则徒劳费，只与在家一般；他日归来，又只是旧时伎俩人物。不知汝将何面目，归见父母亲戚乡党故旧耶？

念之，念之。夙兴夜寐，无忝尔所生。在此一行，千万努力。

（选自《朱子文集》）

# 袁氏世範

袁采（生年不详，卒于一一九五年），字君载，信安（今浙江常山）人。宋孝宗隆兴进士。曾任乐清、政和县县令，以刚直著称。著有《袁氏世范》传世，是继《颜氏家训》后集大成者，被《四库全书总目》称为：『于立身处世之道，反复详尽。』

強合失和

人之至親莫過於父子兄弟而父子兄弟有不和者父子或因于責善兄弟或因于爭財有不因責善爭財而不和者世人見其不和或就其中分别是非而

# 袁氏世范

## 强合失和

人之至亲，莫过于父子兄弟。而父子兄弟有不和者，父子或因于责善，兄弟或因于争财。有不因责善、争财而不和者，世人见其不和，或就其中分别是非，而

莫名其由蓋人之性或寬緩或褊急或剛暴或柔懦或嚴重或輕薄或持檢或放縱或喜閒靜或喜紛拏或所見者小或所見者大所禀自是不同父必欲子之強合於己子之性未必然兄必欲弟之性合於己弟之性未必然其性不可得而合則其言行亦不可得而合此父子兄弟不和之根源也況凡臨事之際一以為是一以為非一以為當先一以

莫名其由。盖人之性，或宽缓，或褊急；或刚暴，或柔懦；或严重，或轻薄；或持检，或放纵；或喜闲静，或喜纷挐；或所见者小，或所见者大；所禀自是不同。父必欲子之强合于己，子之性未必然；兄必欲弟之性合于己，弟之性未必然。其性不可得而合，则其言行亦不可得而合。此父子兄弟不和之根源也。况凡临事之际，一以为是，一以为非；一以为当先，一以為當後一以為宜急一以為宜緩其不齊如此若互欲同於己必致於爭論爭論不勝至於再三至於十數則不和之情自茲而啟或至於終身失歡若悉悟此理為父兄者通情於子弟而不責子弟之同於己為子弟者仰承於父兄而不望父兄惟己之聽則處事之際必相和協無乖爭之患孔子曰事父母幾諫見志不從又敬不違勞而無怨此聖人教

为当后；一以为宜急，一以为宜缓；其不齐如此。若互欲同于己，必致于争论，争论不胜，至于再三，至于十数，则不和之情自兹而启，或至于终身失欢。若悉悟此理，为父兄者通情于子弟，而不责子弟之同于己；为子弟者仰承于父兄，而不望父兄惟己之听，则处事之际，必相和协，无乖争之患。孔子曰：“ 事父母，几谏，见志不从，又敬不违，劳而无怨。”此圣人教

人和家之要術也宜孰思之

## 換位思考

人之父子或不思各盡其道而互相責備者尤啟不和之漸也若各能反思則無事矣為父者曰吾今日為人之父蓋前日嘗為人之子矣凡吾前日事親之道每事盡善則為子者得於見聞不待教詔而知效倘吾前日事親之道有所

人和家之要术也，宜孰思之。

## 换位思考

人之父子，或不思各尽其道，而互相责备者，尤启不和之渐也。若各能反思，则无事矣。为父者曰：“吾今日为人之父，盖前日尝为人之子矣。凡吾前日事亲之道，每事尽善；则为子者得于见闻，不待教诏而知效。倘吾前日事亲之道有所未善將以責其子得不有愧於心為子者曰吾今日為人之子則他日亦當為人之父今吾父之撫育我者如此畀付我者如此亦云厚矣他日吾之待其子不異于吾之父則可以俯仰無愧若或不及非惟有負於其子亦何顏以見其父矣然世之善為人子者常善為人父不能孝其親者常欲虐其子此無他賢者能自反則無往而不善不賢者不能

未善，将以责其子，得不有愧于心？”为子者曰：“吾今日为人之子，则他日亦当为人之父。今吾父之抚育我者如此，畀付我者如此，亦云厚矣；他日吾之待其子，不异于吾之父，则可以俯仰无愧；若或不及，非惟有负于其子，亦何颜以见其父矣？”然世之善为人子者，常善为人父；不能孝其亲者，常欲虐其子。此无他，贤者能自反，则无往而不善；不贤者不能

自反為人子則多怨為人父則多暴然則自反之說惟賢者可以語此

## 寬容相處

自古人倫賢否相雜或父子不能皆賢或兄弟不能皆令或夫流蕩或妻悍暴少有一家之中無此患者雖聖賢亦無如之何譬如身有瘡痍疣贅雖甚可惡不可決去惟當寬懷處之能知此理則

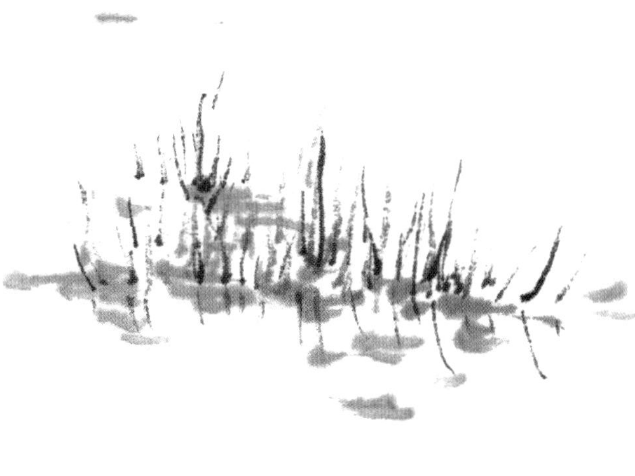

自反，为人子则多怨，为人父则多暴。然则自反之说，惟贤者可以语此。

## 宽容相处

自古人伦，贤否相杂。或父子不能皆贤，或兄弟不能皆令，或夫流荡，或妻悍暴，少有一家之中无此患者，虽圣贤亦无如之何。譬如身有疮痍疣赘，虽甚可恶，不可决去，惟当宽怀处之。能知此理，则

胸中泰然矣古人所以謂父子兄弟夫婦之間人所難言者如此

順意盡歡

年高之人作事有如嬰孺喜得錢財微利喜受飲食果實小惠喜與孩童玩狎為子弟者能知此而順適其意則盡其歡矣

胸中泰然矣。古人所以谓父子、兄弟、夫妇之间，人所难言者如此。

## 顺意尽欢

年高之人，作事有如婴孺，喜得钱财微利，喜受饮食、果实小惠，喜与孩童玩狎。为子弟者，能知此而顺适其意，则尽其欢矣。

心誠為孝

人之孝行根於誠篤雖繁文末節不至亦可以動天地感鬼神嘗見世人有事親不務誠篤乃以聲音笑貌繆為恭敬者其不為天地鬼神所誅則幸矣況望其世世篤孝而門户昌隆者乎苟能知此則自此而往凡與物應接皆不可不誠有識君子試以誠與不誠較其久遠效驗孰多

## 心诚为孝

人之孝行，根于诚笃，虽繁文末节不至，亦可以动天地、感鬼神。尝见世人有事亲不务诚笃，乃以声音笑貌缪为恭敬者，其不为天地鬼神所诛则幸矣，况望其世世笃孝而门户昌隆者乎？苟能知此，则自此而往，凡与物应接，皆不可不诚。有识君子，试以诚与不诚较其久远，效验孰多？

## 養兒更知父母恩

人當嬰孺之時，愛戀父母至切；父母于其子嬰孺之時，愛念尤厚，撫育無所不至。蓋由氣血初分，相去未遠，而嬰孺之聲音笑貌自能取愛於人。亦造物者設為自然之理，使之生生不窮。雖飛走微物亦然，方其子初脫胎卵之際，乳飲哺啄必極其愛，有傷其子則護之不顧其身。然人於既長之後，分稍嚴而情稍疏

## 养儿更知父母恩

人当婴孺之时，爱恋父母至切。父母于其子婴孺之时，爱念尤厚，抚育无所不至。盖由气血初分，相去未远，而婴孺之声音笑貌自能取爱于人。亦造物者设为自然之理，使之生生不穷，虽飞走微物亦然。方其子初脱胎卵之际，乳饮哺啄必极其爱。有伤其子，则护之不顾其身。然人于既长之后，分稍严而情稍疏。

父母方求盡其慈子方求盡其孝飛走之屬稍長則母子不相識認此人之所以異於飛走之屬也然父母于其子幼之時愛念撫育有不可以言盡者子雖終身承顏致養極盡孝道終不能報其少小愛念撫育之恩況孝道有不盡者凡人之不能盡孝道者請觀人之撫育嬰孺其情愛如何終當自悟亦由天地生育之道所以及人者至廣至大而人

父母方求尽其慈，子方求尽其孝。飞走之属，稍长则母子不相识认，此人之所以异于飞走之属也。然父母于其子幼之时，爱念抚育，有不可以言尽者。子虽竭力承颜致养，极尽孝道，终不能报其少小爱念抚育之恩，况孝道有不尽者。凡人之不能尽孝道者，请观人之抚育婴孺，其情爱如何，终当自悟。亦由天地生育之道，所以及人者至广、至大，而人

之報天地者何在有對虛空焚香跪拜或召羽流齋醮上帝則以為能報天地果足以報其萬分之一乎況又有怨詬於天地者皆不能反思之罪也

兄弟相愛

兄弟義居固世之美事然其間有一人早亡諸父與子侄其愛稍疏其心未必均齊為長而欺瞞其幼者有之為幼而

之报天地者何在？有对虚空焚香跪拜，或召羽流斋醮上帝，则以为能报天地，果足以报其万分之一乎？况又有怨咨于天地者，皆不能反思之罪也。

## 兄弟相爱

兄弟义居，固世之美事。然其间有一人早亡，诸父与子侄其爱稍疏，其心未必均齐。为长而欺瞒其幼者有之，为幼而悖慢其長者有之顧見義居而交爭者其相疾有甚於路人前日之美事乃甚不美矣故兄弟當分宜早有所定兄弟相愛雖異居異財亦不害為孝義一有交爭則孝義何在

悖慢其长者有之。顾见义居而交争者，其相疾有甚于路人。前日之美事，乃甚不美矣。故兄弟当分，宜早有所定。兄弟相爱，虽异居异财，亦不害为孝义。一有交争，则孝义何在?

# 富貴不驕

富貴乃命分偶然豈宜以此驕傲鄉曲若本自貧窶身致富厚本自寒素身致通顯此雖人之所謂賢亦不可以此取尤於鄉曲若因父祖之遺資而坐享肥濃因父祖之保任而驟致通顯此何以異于常人其間有欲以此驕傲鄉曲不亦羞而可憐哉

## 富贵不骄

富贵乃命分偶然，岂宜以此骄傲乡曲！若本自贫窭，身致富厚；本自寒素，身致通显。此虽人之所谓贤，亦不可以此取尤于乡曲。若因父祖之遗资而坐享肥浓，因父祖之保任而驯致通显，此何以异于常人？其间有欲以此骄傲乡曲，不亦羞而可怜哉！

## 一視同人

世有無知之人不能一概禮待鄉曲而因人之富貴貧賤設為高下等級見有資財有官職者則禮恭而心敬資財愈多官職愈高則恭敬又加焉至視貧者賤者則禮傲而心慢曾不少顧恤殊不知彼之富貴非吾之榮彼之貧賤非我之辱何用高下分别如此長厚有識君子必不然也

## 一视同人

世有无知之人，不能一概礼待乡曲。而因人之富贵、贫贱，设为高下等级。见有资财、有官职者则礼恭而心敬。资财愈多，官职愈高，则恭敬又加焉。至视贫者、贱者，则礼傲而心慢，曾不少顾恤。殊不知彼之富贵，非吾之荣；彼之贫贱，非我之辱，何用高下分别如此！长厚有识君子必不然也。

## 窮達兩途

操履與升沉自是兩途不可謂操履之正自宜榮貴操履不正自宜困厄若如此則孔顏應為宰輔而古今宰輔達官不復小人矣蓋操履自是吾人當行之事不可以此責效於外物責效不效則操履必怠而所守或變遂為小人之歸矣今世間多有愚蠢而享富貴智慧而居貧寒者皆有一定之分不可致詰若知此理安而處之豈不省事

## 穷达两途

操履与升沉，自是两途。不可谓操履之正，自宜荣贵；操履不正，自宜困厄。若如此，则孔、颜应为宰辅；而古今宰辅达官，不复小人矣！盖操履自是吾人当行之事，不可以此责效于外物。责效不效，则操履必怠，而所守或变，遂为小人之归矣。今世间，多有愚蠢而享富贵，智慧而居贫寒者，皆有一定之分，不可致诘。若知此理，安而处之，岂不省事。

## 事無定勢

世事多更變乃天理如此今世人往往見目前稍稍榮盛以為此生無足慮不旋踵而破壞者多矣大抵天序十年一換甲則世事一變今不須廣論久遠只以鄉曲十年前二十年前比論目前其成敗興衰何嘗有定勢世人無遠識凡見他人興進及有如意事則懷妒見他人衰退及有不如意事則譏笑同居及

## 事无定势

世事多更变，乃天理如此。今世人往往见目前稍稍荣盛，以为此生无足虑，不旋踵而破坏者多矣。大抵天序十年一换甲，则世事一变。今不须广论久远，只以乡曲十年前、二十年前比论目前，其成败兴衰何尝有定势！世人无远识，凡见他人兴进及有如意事，则怀妒；见他人衰退及有不如意事，则讥笑。同居及

同鄉人最多患此若知事無定勢則自
慮之不暇何暇妒人笑人哉

窮達相間

應高年享富貴之人必須少壯之時嘗
盡艱難受盡辛苦不曾有自少壯饗富
貴安逸至老者早年登科及早年受奏
補之人必于中年齟齬不如意卻于暮
年方得榮達或仕宦無齟齬必其生事

同乡人最多患此。若知事无定势，则自虑之不暇，何暇妒人笑人哉？

## 穷达相间

应高年享富贵之人，必须少壮之时尝尽艰难，受尽辛苦，不曾有自少壮享富贵安逸至老者。早年登科及早年受奏补之人，必于中年龃龉不如意，却于暮年方得荣达。或仕宦无龃龉，必其生事

窘薄憂飢寒慮婚嫁若早年宦達不歷艱難辛苦及承父祖生事之厚更無不如意者多不獲高壽造物乘除之理類多如此其間亦有始終饗富貴者乃是有大福之人亦千萬人中間有之非可常也今人往往機心巧謀皆欲不受辛苦即享富貴至終身蓋不知此理而又非理計較欲其子孫自小安然饗大富貴尤其蔽惑也終於人力不能勝天

窘薄，忧饥寒，虑婚嫁。若早年宦达，不历艰难辛苦，及承父祖生事之厚，更无不如意者，多不获高寿。造物乘除之理，类多如此。其间亦有始终享富贵者，乃是有大福之人，亦千万人中间有之，非可常也。今人往往机心巧谋，皆欲不受辛苦，即享富贵至终身。盖不知此理，而又非理计较，欲其子孙自小安然享大富贵，尤其蔽惑也，终于人力不能胜天。

贫富隨分

富貴自有定分造物者既設為一定之分又設為不測之機役使天下之人朝夕奔趨老死而不覺不如是則人生天地間全然無事而造化之術窮矣然奔趨而得者不過一二奔趨而不得者蓋千萬人世人終以一二者之故至於勞心費力老死無成者多矣不知他人奔

## 贫富随分

富贵自有定分。造物者既设为一定之分，又设为不测之机，役使天下之人，朝夕奔趋，老死而不觉。不如是，则人生天地间全然无事，而造化之术穷矣。然奔趋而得者，不过一二；奔趋而不得者，盖千万人。世人终以一二者之故，至于劳心费力，老死无成者多矣。不知他人奔

趨而得亦其定分中所有者若定分中所有雖不奔趨遲以歲月亦終必得故世有高見遠識超出造化機關之外任其自去自来者其胸中平夷無憂喜無怨尤所謂奔趨及相傾之事未嘗萌於意間則亦何爭之有前輩謂死生貧富生来注定君子贏得為君子小人枉了做小人此言甚切人自不知耳

趋而得，亦其定分中所有者。若定分中所有，虽不奔趋，迟以岁月，亦终必得。故世有高见远识超出造化机关之外，任其自去自来者，其胸中平夷，无忧喜，无怨尤，所谓奔趋及相倾之事未尝萌于意间，则亦何争之有？前辈谓，死生贫富生来注定。君子赢得为君子，小人枉了做小人。此言甚切，人自不知耳。

能忍則安

人言居家久和者，本於能忍。然知忍而不知處忍之道，其失尤多。蓋忍或有藏蓄之意，人之犯我，藏蓄而不發，不過一再而已。積之既多，其發也如洪流之決，不可遏矣。不若隨而解之，不置胸次。曰此其不思爾，曰此其無知爾，曰此其失誤爾，曰此其所見者小爾，曰此其利害寧幾何，不使之入於吾心，雖日犯我者十數，亦不至形於言而見於色，然後見忍之功效爲甚大，此所謂善處忍者。

## 能忍则安

人言居家久和者，本于能忍。然知忍而不知处忍之道，其失尤多。盖忍或有藏蓄之意。人之犯我，藏蓄而不发，不过一再而已。积之既多，其发也，如洪流之决，不可遏矣。不若随而解之，不置胸次。曰：此其不思尔。曰：此其无知尔。曰：此其失误尔。曰：此其所见者小尔。曰：此其利害宁几何。不使之入于吾心，虽日犯我者十数，亦不至形于言而见于色，然后见忍之功效为甚大，此所谓善处忍者。

## 立業為先

人之有子須使有業貧賤而有業則不至於飢寒富貴而有業則不至於為非凡富貴之子弟耽酒色好博弈異衣服飾輿馬與群小為伍以至破家者非其本心之不肖由無業以度日遂起為非之心小人贊其為非則有啜錢財之利常乘間而翼成之子弟痛宜省悟

## 立业为先

人之有子，须使有业。贫贱而有业，则不至于饥寒；富贵而有业，则不至于为非。凡富贵之子弟，耽酒色，好博弈，异衣服，饰舆马，与群小为伍，以至破家者，非其本心之不肖，由无业以度日，遂起为非之心。小人赞其为非，则有啜钱财之利，常乘间而翼成之。子弟痛宜省悟。

（选自《袁氏世范》）

无

# 張養浩家訓

张养浩（一二六九—一三二九年），字希孟，济南（今属山东）人。元代著名政治家、文学家。初为东平学正，累迁至礼部侍郎、监察御史、翰林侍读、礼部尚书、中书省参知政事等职。天历二年，出任陕西行台中丞，逝世于任上。作品有《三事忠告》等。

道業學術不可不求
士當求進於己而不可求進於人所謂
求進於己者道業學術之精是已所謂
求進於人者富貴利達之榮是已蓋富
貴利達在天而不可求道業學術在我

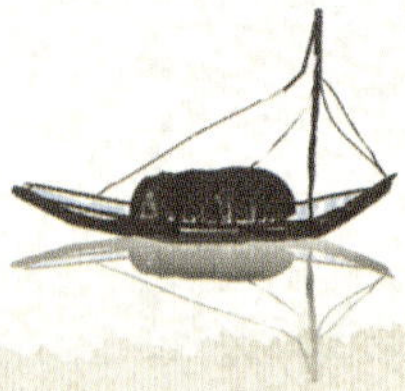

# 张养浩家训

## 道业学术　不可不求

士当求进于己，而不可求进于人。所谓求进于己者，道业、学术之精是已。所谓求进于人者，富贵利达之荣是已。盖富贵利达，在天而不可求；道业学术，在我

而不可不求也況古之人不以富貴利達為心也其所以從仕者宜假此以行道也道不行而富貴利達者古人以為恥而不以為榮嗚呼非誠有致君澤民之心者其孰能與於此

而不可不求也。况古之人，不以富贵利达为心也。其所以从仕者，宜假此以行道也。道不行而富贵利达者，古人以为耻，而不以为荣。呜呼！非诚有致君泽民之心者，其孰能与于此?

（张养浩《牧民忠告》卷下）

# 明

# 王陽明家訓

王守仁（一四七二—一五二九年），幼名云，字伯安，余姚（今属浙江）人。学者称之为阳明先生，亦称王阳明。明代思想家、哲学家和教育家。弘治十二年（一四九九年）进士，历任刑部主事、两广总督等职，著作由门人辑成《王文成公全书》。

## 寄諸弟

屢得弟輩書皆有悔悟奮發之意喜慰無盡但不知弟輩果出於誠心乎亦謾為之說云爾夲心之明皎如白日無有有過而不自知者但患不能改耳一念

# 王阳明家训

## 寄诸弟

屡得弟辈书，皆有悔悟奋发之意，喜慰无尽！但不知弟辈果出于诚心乎？亦谩为之说云尔。本心之明，皎如白日，无有有过而不自知者，但患不能改耳。一念

改過當時即得本心人孰無過改之為貴蘧伯玉大賢也惟曰欲寡其過而未能成湯孔子大聖也亦惟曰改過不吝可以無大過而已人皆曰人非堯舜安能無過此亦相沿之説未足以知堯舜之心若堯舜之心而自以為無過即非所以為聖人矣其相授受之言曰人心惟危道心惟微惟精惟一允執厥中彼其自以為人心之惟危也則其心亦與

改过，当时即得本心。人孰无过？改之为贵。蘧伯玉，大贤也，惟曰“欲寡其过而未能”。成汤、孔子，大圣也，亦惟曰“改过不吝，可以无大过”而已。人皆曰：人非尧舜，安能无过？此亦相沿之说，未足以知尧舜之心。若尧舜之心而自以为无过，即非所以为圣人矣。其相授受之言曰：“人心惟危，道心惟微，惟精惟一，允执厥中。”彼其自以为人心之惟危也，则其心亦与人同耳危即過也惟其兢兢業業嘗加精一之功是以能允執厥中而免於過古之聖賢時時自見己過而改之是以能無過非其心果與人異也戒慎不睹恐懼不聞者時時自見己過之功吾近來實見此學有用力處但為平日習染深痼克治欠勇故切切預為弟輩言之毋使亦如吾之習染既深而後克治之難也人方少時精神意氣既足鼓舞而身

人同耳。危即过也，惟其兢兢业业，尝加“精一”之功，是以能“允执厥中”而免于过。古之圣贤，时时自见己过而改之，是以能无过，非其心果与人异也。“戒慎不睹，恐惧不闻”者，时时自见己过之功。吾近来实见此学有用力处，但为平日习染深痼，克治欠勇，故切切预为弟辈言之，毋使亦如吾之习染既深，而后克治之难也。人方少时，精神意气既足鼓舞，而身家之累尚未切心故用力頗易迨其漸長世累日深而精神意氣亦日漸以減然能汲汲奮志於學則猶尚可有為至於四十五十即如下山之日漸以微滅不復可挽矣故孔子云四十五十而無聞焉斯亦不足畏也已又曰及其老也血氣既衰戒之在得吾亦近來實見此病故亦切切預為弟輩言之宜及時勉力毋使過時而徒悔也

家之累尚未切心，故用力颇易。迨其渐长，世累日深，而精神意气亦日渐以减，然能汲汲奋志于学，则犹尚可有为。至于四十、五十，即如下山之日，渐以微灭，不复可挽矣。故孔子云：“四十、五十而无闻焉，斯亦不足畏也已。”又曰：“及其老也，血气既衰，戒之在得。”吾亦近来实见此病，故亦切切预为弟辈言之，宜及时勉力，毋使过时而徒悔也。

要與高明之人交往

近聞爾曹學業有進有司考校獲居前列吾聞之喜而不寐此是家門好消息繼吾書香者在爾輩矣勉之勉之吾非徒望爾輩但取青紫榮身肥家如世俗所尚以誇市井小兒爾輩須以仁禮存心以孝弟為本以聖賢自期務在光前裕後斯可矣吾惟幼而失學無行無師友之助迄今中年未有所成爾輩當鑒

## 要与高明之人交往

近闻尔曹学业有进，有司考校，获居前列，吾闻之喜而不寐。此是家门好消息，继吾书香者，在尔辈矣。勉之，勉之！吾非徒望尔辈但取青紫，荣身肥家，如世俗所尚，以夸市井小儿。尔辈须以仁礼存心，以孝悌为本，以圣贤自期，务在光前裕后，斯可矣。吾惟幼而失学无行，无师友之助，迄今中年，未有所成，尔辈当鉴

吾既往及時勉力毋又自貽他日之悔
如吾今日也習俗移人如油漬面雖賢
者不免況爾曹初學小子能無溺乎然
惟痛懲深創乃為善變昔人云脫去凡
近以遊高明此言良足以警小子識之
吾嘗有立志說與爾十叔爾輩可從抄
錄一通置之几間時一省覽亦足以發
方邑傳於庸醫藥可療夫真病爾曹勿
謂爾伯父只尋常人爾其言未必足法

吾既往，及时勉力，毋又自贻他日之悔，如吾今日也。习俗移人，如油渍面，虽贤者不免；况尔曹初学小子，能无溺乎？然惟痛惩深创，乃为善变。昔人云：“脱去凡近，以游高明。”此言良足以警，小子识之！吾尝有立志说与尔十叔，尔辈可从抄录一通，置之几间，时一省览，亦足以发。方邑传于庸医，药可疗夫真病，尔曹勿谓尔伯父只寻常人尔，其言未必足法。

又勿謂其言雖似有理亦只是一場迂闊之談非我輩急務苟如是吾未如之何矣讀書講學此最吾所宿好今雖干戈擾攘中四方有來學者吾亦未嘗拒之所恨牢落塵網未能身而歸今幸盜賊稍平以塞責求退歸卧林間攜爾曹朝夕切劘砥礪吾何樂如之偶便先示爾等爾等勉焉毋虛吾望

又勿谓其言虽似有理，亦只是一场迂阔之谈，非我辈急务。苟如是，吾未如之何矣。读书讲学，此最吾所宿好，今虽干戈扰攘中，四方有来学者，吾亦未尝拒之，所恨牢落尘网，未能身而归。今幸盗贼稍平，以塞责求退，归卧林间，携尔曹朝夕切劘砥砺。吾何乐如之！偶便，先示尔等，尔等勉焉！毋虚吾望。

（选自《王阳明全集》

# 编例

一、本套书共选五十名作者的家训文章，涵盖上自春秋下迄明清各个朝代，在作者选取上本着立德、立功、立言的“三不朽”原则，在思想内容上要求积极向上。

二、本套书所选文章，出自历代典籍，参考《论语》《孟子》《汉书》《后汉书》《三国志》《齐书》《中国历代散文选》《中华家训》《今古通鉴》《历代家训》《人才鉴要》《梁启超家书》等，做了大量校订工作，对有异议处，查找佐证，综合各家之说，并经专家审定。

三、文章顺序以作者的生年先后为据。每名作者的简要介绍内容以《辞海》的《文学分册》《历史分册》《哲学分册》为主要参照，融合其他资料，归纳概括，力求简洁，以帮助读者更好地理解文章。

四、本套书采用隶书、楷书、行楷三种字体书写。版式设计上，左为书法作品，右为印刷体原文，互为参照，并设计精美插画装饰，呼应内容、书法和时代特征。

编者

二〇二〇年九月